saisis

S'enflammer pour le barbecue

Du même auteur
Simple et Chic, photos de Christian Tremblay
propos de Robert Beauchemin
Prix Gourmand World Cookbook / français, Canada ;
Meilleur livre de recettes relié à une émission de télévision

Sexy – *Cuisiner pour deux*, photos de Christian Tremblay
Collection Simple et Chic

Sauvage – *Savourer la nature*, photos de Christian Tremblay
Collection Simple et Chic
Prix Gourmand World Cookbook / français, Canada ;
Meilleur livre d'un chef

Souvenirs – *Revisiter nos traditions*, photos de Christian Tremblay
Collection Simple et Chic
Prix Gourmand World Cookbook / français, Canada ;
Meilleur livre de recettes relié à une émission de télévision

Photos
Photographe :
Christian Tremblay assisté de Pascal Witdouck et Pierre-Olivier Nantel

Styliste culinaire :
Marie-Ève Charron assistée d'Yves Germain

Accessoires : Jean François Clément
Barbecues Weber, Després Laporte, 3 Femmes et 1 coussin, Les Touilleurs,
Boutique Couleurs, Les Pêcheries Norref Québec, Boucherie de Tours,
La Fromagerie Atwater, Les fruits et légumes Hector Larivée

Design graphique
Paul Toupin Design

Propos de Robert Beauchemin (pages 10, 46, 80)

© 2011, Flammarion Québec
Tous droits réservés
ISBN 978-2-89077-411-7
Dépôt légal BAnQ : 1er trimestre 2011

Cet ouvrage a été imprimé par l'imprimerie
Friesens au Manitoba, Canada.

www.flammarion.qc.ca
www.louisfrancois.ca

Catalogage avant publication de Bibliothèque
et Archives nationales du Québec et Bibliothèque
et Archives Canada

Marcotte, Louis-François
Saisis : s'enflammer pour le barbecue
(Collection Simple et chic)
Comprend un index.
ISBN 978-2-89077-411-7
1. Cuisine au barbecue. I. Titre. II. Collection : Marcotte, Louis-François.
Collection Simple et chic.

TX840.B3M37 2011   641.5'784   C2010-942748-3

saisis

S'enflammer pour le barbecue

LOUIS-FRANÇOIS MARCOTTE

PHOTOS DE CHRISTIAN TREMBLAY

Flammarion
Québec

TABLE

INTRODUCTION DE
LOUIS-FRANÇOIS MARCOTTE

L'*Homo sapiens* québécois se sert souvent du barbecue comme d'un outil pour se mettre en valeur, pour prouver aux autres qu'il est capable de cuisiner. Or, en général, c'est sa blonde qui choisit la viande, concocte la marinade, nettoie les légumes, assemble les brochettes et prépare les accompagnements, les sauces et les condiments…

Avec le gril, l'homme est dans son élément. Comme les femmes craignent parfois de partir le feu ou d'allumer la bête au gaz, il s'en charge. Ça a l'air un peu cliché ce que je dis, mais ça me sert de prétexte pour vous présenter ce livre dont le but est de vous donner des recettes toutes simples et quasi infaillibles.

À l'inverse des Américains qui, hiver comme été, rôtissent, gratinent, fument – tout le monde là-bas connaît les techniques de cuisson indirecte, et personne ne couvre les grilles de papier d'aluminium de crainte que les aliments ne collent ou ne surcuisent –, nous tenons le barbecue pour un événement de week-end, l'été, une OCCASION plutôt qu'une fantastique FAÇON de cuisiner.

Moi, je ne me prive pas de ce plaisir en toutes saisons. La neige de février ne m'a jamais empêché de saisir mes côtelettes de porc, et ma blonde est heureuse parce que la cuisine reste propre. On peut, en fait on devrait pouvoir, profiter du goût unique de la cuisson sur la braise en ville comme à la campagne.

Bien sûr, on peut reproduire à l'intérieur tous les plats que je vous propose : on remplace la flamme ardente par un poêlon strié ou par une *plancha* en fonte à l'espagnole, dans le four, sous le gril.

Ce livre est donc essentiellement un hommage à la plus ancienne technique de cuisson des Hommes, une cuisine vigoureuse et flamboyante à l'année longue.

LUNDI, MARDI, MERCREDI

LUNDI, MARDI, MERCREDI

Le début de la semaine marque les moments de grande énergie. On a fait le plein et, tel un coup de feu, on part ! Le travail, la vie domestique, les courses, les voyages, tout ça se prépare et se planifie pendant les premiers jours. Quand on a terminé, le réservoir est vide. On rentre chez soi et tout doit devenir facile. Les tracas, c'est pour le jour, l'aisance, c'est pour le soir. Il faut que tout soit presque prêt pour le souper : le garde-manger déborde de produits, le frigo est plein. La cuisine devient alors un espace de désinvolture, les actions se font naturellement. On peut, sans trop y penser, prendre un morceau de

LUNDI, MARDI, MERCREDI

viande ou des légumes, mettre quelques condiments, assaisonner précipitamment et ramasser en vitesse les accompagnements du repas : prendre et déposer ! Le barbecue est une solution évidente. Quand Louis-François arrive chez lui, le chien, le chat, les fils, la maison, la blonde, tout est en mouvement. On sent l'urgence parce que le repas du soir est le moment de la rencontre quotidienne, rapide et agréable. En deux ou trois gestes précis, il réunit le nécessaire, le feu grésille, les plats sont étalés, la table est mise. Le temps est venu – enfin – de se livrer.

UNE RECETTE INFAILLIBLE ET POLYVALENTE,
PARCE QU'ON PEUT SUBSTITUER À LA FETA
N'IMPORTE QUEL FROMAGE. LE GENRE DE CUISINE
QUE J'AIME FAIRE PARCE QUE C'EST FACILE.

Feta en papillote — 2 personnes —

**2 tranches de feta de brebis
de 2 cm (¾ po) d'épaisseur**

**14 tomates cerises sur
grappe ou non**

**1 gousse d'ail finement
hachée**

1 c. à thé d'origan frais

4 c. à soupe d'huile d'olive

Poivre du moulin

Préchauffez le barbecue à intensité vive, environ 260 °C (500 °F).
◡ Déposez chaque tranche de feta dans un papier d'aluminium
double épaisseur et garnissez de tomates cerises, d'ail, d'origan
et d'huile. Poivrez généreusement et refermez le papier
d'aluminium hermétiquement. ◡ Mettez les papillotes sur une
plaque ou dans une poêle et faites cuire au barbecue, en
fermant le couvercle, 10 minutes.

Servir
Ouvrez les papillotes avec précaution et transférez les morceaux de
fromage avec le jus de cuisson dans les assiettes. Ce plat se sert en
entrée ou accompagné d'une salade de verdure pour un repas complet.

ON PEUT SERVIR CES LÉGUMES COMME ENTRÉE
OU EN ACCOMPAGNEMENT. MON FROMAGE PRÉFÉRÉ,
C'EST LA MOZZARELLA FRAÎCHE. LES DEUX,
ÇA FAIT UN DUO IRRÉSISTIBLE.

Salade de légumes grillés, tomates fraîches et mozzarella — 6 personnes —

Légumes

2 aubergines italiennes ou 1 moyenne

2 champignons portobellos

1 boîte de cœurs d'artichauts de 398 ml (14 oz)

6 oignons verts

2 gousses d'ail hachées finement

1 c. à thé de gros sel gris marin ou de fleur de sel

80 ml (⅓ tasse) d'huile d'olive

Salade

500 ml (2 tasses) de tomates mûres variées en tranches fines

1 boule de mozzarella di bufala en morceaux

4 c. à soupe d'huile d'olive

4 c. à thé de vinaigre balsamique blanc

Feuilles de basilic

Feuilles de persil

1 c. à soupe de ciboulette ciselée

Sel et poivre du moulin

Les légumes

Préchauffez le barbecue à intensité moyenne-vive, environ 230 °C (450 °F). ∞ Tranchez sur la longueur chaque aubergine en 3. Retirez le pied des champignons et coupez-les en 3. Égouttez et pressez légèrement les cœurs d'artichauts pour en extraire le maximum d'eau et coupez-les en 2. Enlevez les feuilles flétries des oignons verts. ∞ Dans un petit bol, combinez l'ail, le sel et l'huile et écrasez à la fourchette afin d'amalgamer les saveurs. À l'aide d'un pinceau, badigeonnez-en les légumes. ∞ Déposez-les sur les grilles propres. Faites-les cuire en les retournant à quelques reprises jusqu'à l'atteinte d'une belle coloration dorée.

Le montage

Disposez les tomates et les légumes grillés dans une assiette. ∞ Garnissez de mozzarella et arrosez d'huile et de vinaigre. Parsemez des herbes et assaisonnez.

Servir

Servez au centre de la table comme entrée ou encore comme légumes d'accompagnement.

POUR LES PASSIONNÉS DE SANDWICHS (COMME MOI),
LES GRILLED CHEESE, C'EST TOUJOURS *WINNER*, SURTOUT AU
BARBECUE. ULTRA-CLASSIQUE ET ULTRA-ITALIEN !

Potage frais et grilled cheese — 4 personnes —

1 laitue frisée

2 c. à soupe d'huile d'olive

375 ml (1 ½ tasse) de pois verts surgelés

½ avocat mûr, pelé, dénoyauté

750 ml (3 tasses) de bouillon de poulet

125 ml (½ tasse) d'aneth haché

Jus de ½ citron

Sel et poivre du moulin

Préchauffez le barbecue à intensité modérée, environ 200 °C (400 °F). ∞ Taillez, à partir du cœur, la laitue en 2 sur la longueur. Huilez, salez et poivrez généreusement les 2 moitiés de laitue. ∞ Déposez-les sur les grilles propres et faites rôtir quelques minutes en les retournant 2 fois. Lorsque la flamme les aura partiellement colorées, hachez-les grossièrement. ∞ Mettez dans le récipient du mélangeur la laitue et les autres ingrédients. Broyez jusqu'à l'obtention d'une texture lisse. Rectifiez l'assaisonnement et gardez au réfrigérateur jusqu'au moment de servir.

Servir
Ce potage est en parfaite harmonie servi avec le sandwich grillé fromage et pomme (p. 19).

.../19

Sandwichs grillés fromage et pomme — 4 personnes —

8 tranches de pain de campagne ou multigrain

3 c. à soupe de beurre tempéré

1 l (4 tasses) de fromage à pâte semi-ferme (Pikauba, Comtomme Signature, cheddar) râpé

1 pomme verte

12 feuilles de basilic

Zeste de 1 citron lavé

Sel et poivre du moulin

Préchauffez le barbecue à faible intensité, environ 180 °C (350 °F). ✆ Beurrez un côté des tranches de pain. Répartissez la moitié du fromage sur le côté non beurré des 4 tranches. ✆ Lavez la pomme, retirez le cœur et tranchez 12 fines rondelles. Disposez-les sur le fromage. ✆ Éparpillez le basilic et le zeste de citron. Salez, poivrez et parsemez du fromage restant. Couvrez chaque sandwich d'une tranche de pain. ✆ Déposez-les sur les grilles. Dès que le dessous du sandwich est doré, à l'aide d'une spatule, pressez fermement et retournez-le délicatement. ✆ Poursuivez la cuisson jusqu'à ce que les sandwichs soient bien grillés. Si le fromage n'a pas entièrement fondu, placez les sandwichs sur la grille du haut, éteignez le feu, fermez le couvercle et attendez quelques minutes de plus.

LE MAÏS A PRIS UN PETIT GOÛT DE FUMÉE
DANS CE *CHOWDER*. AVEC UN MUFFIN GRILLÉ,
ÇA FAIT UN LUNCH ÉLÉGANT ET MONTÉ
EN QUELQUES MINUTES.

Soupe de maïs grillé et muffins au saumon fumé — 4 personnes —

4 épis de maïs sans les feuilles

125 ml (½ tasse) de bouillon de poulet

180 ml (¾ tasse) de lait 3,25 %

Sel et poivre du moulin

Préchauffez le barbecue à intensité modérée, environ 200 °C (400 °F). ∞ Déposez les épis directement sur les grilles et faites rôtir 10 minutes en les retournant régulièrement. Lorsqu'ils sont bien colorés, laissez-les tiédir avant de retirer les grains avec un couteau du chef. ∞ Mettez les grains dans le récipient d'un robot culinaire. Versez le bouillon, le lait et broyez jusqu'à l'obtention d'une consistance lisse et onctueuse. Rectifiez l'assaisonnement. ∞ Cette soupe se sert chaude ou froide.

…/23

Muffins au saumon fumé — 4 personnes —

**2 muffins anglais
séparés en 2**

**4 c. à soupe de fromage
à la crème**

8 tranches de saumon fumé

Zeste de 1 lime lavée

**2 c. à soupe de feuilles
de coriandre**

1 pincée de paprika fort

Sur les grilles chaudes du barbecue, faites griller les muffins anglais. ∞ À l'aide d'un couteau, étalez sur chaque moitié le fromage à la crème, garnissez de 2 tranches de saumon fumé et parsemez de zeste, de coriandre et de paprika.

LE BARBECUE, C'EST CE QUI SE RAPPROCHE
LE PLUS D'UN VRAI FOUR À PIZZA. AVEC LA
ROMAINE SAISIE DIRECTEMENT SUR LA GRILLE,
ON RÉINVENTE L'APÉRO À L'ITALIENNE.

Pizza au smoked meat et salade César — 4 personnes —

1 kg (2 lb) de pâte à pizza

200 g (7 oz) de viande fumée finement tranchée

½ oignon rouge finement émincé

80 ml (⅓ tasse) de crème fraîche ou de fromage à la crème

250 ml (1 tasse) de fromage à pâte semi-ferme (Fleur des Monts, étorki, gouda vieux) râpé

375 ml (1 ½ tasse) de petite roquette

Zeste de 1 citron lavé

Sel et poivre du moulin

Préchauffez le barbecue à intensité modérée, environ 200 °C (400 °F). (Assurez-vous que les grilles sont propres et bien huilées.) ☙ Abaissez et étirez la pâte pour obtenir un cercle d'environ 41 cm (16 po) de diamètre. ☙ À l'aide d'un pinceau, huilez légèrement la pâte, déposez-la directement sur les grilles et fermez le couvercle. Faites cuire jusqu'à l'apparition de bulles à la surface. ☙ Baissez la température à faible intensité, environ 180 °C (350 °F) et, à l'aide de deux spatules, retournez la pâte. Garnissez de viande fumée, d'oignon, de crème fraîche, et parsemez de fromage. ☙ Refermez le couvercle et faites cuire au moins 5 minutes jusqu'à ce que le fromage ait fondu.

Servir

Retirez la pizza, éparpillez sur le dessus la roquette et le zeste de citron, salez, poivrez et servez sans attendre avec une bonne salade César grillée (p. 27), par exemple.

N. B. Le smoked meat ressemble au pastrami ou même au corned-beef de New York, mais pas tout à fait... Notre sandwich au smoked meat est unique et, pour les touristes, souvent associé à Montréal.

.../27

Salade César grillée — 4 personnes —

2 gousses d'ail hachées

1 c. à thé de gros sel gris marin*
ou de fleur de sel

2 branches de romarin
effeuillées, hachées finement

Zeste de 1 citron lavé

80 ml (⅓ tasse) d'huile d'olive

8 tranches de baguette

2 cœurs de romaine

12 tranches de bacon cuites,
en morceaux

Copeaux de parmesan

Poivre du moulin

Vinaigrette

1 jaune d'œuf

1 c. à thé de moutarde de Dijon

1 filet d'anchois

1 gousse d'ail hachée

1 c. à soupe de câpres

180 ml (¾ tasse) d'huile d'olive

2 c. à soupe de parmesan râpé

Sel et poivre du moulin

* **Naturellement gris, ce sel est enrichi**
d'oligo-éléments et se prête bien à la
cuisson des légumes dont il rehausse
la saveur. Il reste humide, ce qui
le rend très soluble. Un bon achat
économique, de surcroît.

Préchauffez le barbecue à intensité modérée, environ 200 °C (400 °F). ✎ Dans un petit saladier, combinez l'ail et le sel, et écrasez à la fourchette afin d'amalgamer les saveurs. Incorporez le romarin, le zeste, l'huile, et poivrez. ✎ À l'aide d'un pinceau, badigeonnez le pain d'un peu d'huile aromatisée et faites dorer sur le gril quelques minutes. Taillez en dés. ✎ Sans retirer la base des romaines, coupez-les en 2 sur la longueur. Badigeonnez-les d'huile aromatisée et mettez-les à griller à leur tour, 2 minutes de chaque côté.

La vinaigrette

Dans un bol profond, à l'aide d'un mélangeur à main, broyez le jaune d'œuf, la moutarde, l'anchois, l'ail et les câpres. ✎ Tout en actionnant le mélangeur, versez l'huile en un long filet. ✎ Lorsque la vinaigrette est émulsionnée, ajoutez le parmesan et assaisonnez. Réservez au frais.

Servir

Disposez la laitue dans chaque assiette, arrosez de vinaigrette et garnissez de bacon, de croûtons et de quelques copeaux de parmesan.

DANS LE MÊME ESPRIT QUE LES CROQUE-MONSIEUR,
CES SANDWICHS OUVERTS, AVEC DE BELLES GROSSES
SAUCISSES CHARNUES, ME RAPPELLENT UN PEU
MON PASSÉ DE BOUCHER.

Tartines de saucisses et de champignons — 4 personnes —

4 saucisses italiennes fortes ou douces

3 c. à soupe et plus d'huile d'olive

2 petits champignons portobellos en tranches de 1,5 cm (½ po)

4 tranches de pain de campagne

1 gousse d'ail coupée en 2

4 petits cornichons sucrés en rondelles

2 c. à soupe de persil haché

Copeaux de gruyère

Sel et poivre du moulin

Crème à la moutarde

4 c. à soupe de crème sure

1 c. à thé de moutarde de Dijon

Préchauffez un côté du barbecue à intensité vive, environ 260 °C (500 °F) et laissez l'autre côté éteint. ⌒ Faites cuire les saucisses à feu indirect (c'est-à-dire en les mettant du côté éteint), 10-12 minutes, en les retournant régulièrement. ⌒ Badigeonnez d'huile les champignons et les tranches de pain. Salez et poivrez. Déposez-les sur les grilles et faites cuire 2-3 minutes de chaque côté. ⌒ Lorsque les saucisses sont prêtes, coupez-les en 2 sur la longueur.

La crème à la moutarde
Dans un petit bol, combinez les ingrédients et réservez au frais jusqu'au montage.

Le montage
Frottez les tranches de pain grillées avec l'ail et tartinez de crème à la moutarde. ⌒ Déposez les morceaux de saucisses et de champignons. ⌒ Garnissez de cornichons, de persil et de copeaux de gruyère. Arrosez d'un filet d'huile d'olive.

J'AI SERVI CES BURGERS À DES OUVRIERS
QUI FAISAIENT DES TRAVAUX CHEZ MOI. ON A SUBSTITUÉ
DU VEAU AU BŒUF, SANS CAUSER DE SCANDALE !

Burgers de la construction — 4 personnes —

Boulettes

500 g (1 lb) de bœuf haché

250 ml (1 tasse) de lardons cuits, en dés

1 œuf

3 c. à soupe de lait

3 c. à soupe de ciboulette hachée

2 échalotes françaises hachées

1 c. à soupe de moutarde de Dijon

1 gousse d'ail hachée

Sel et poivre du moulin

Mayonnaise aux cornichons

80 ml (⅓ tasse) de mayonnaise

2 c. à soupe de cornichons sucrés hachés

Garniture

3 c. à soupe d'huile d'olive

170 g (6 oz) de champignons de Paris en tranches

1 échalote française hachée

125 ml (½ tasse) de fond de veau

4 pains à hamburger

4 feuilles de laitue frisée

4 tranches de fromage à pâte semi-ferme (Le Douanier, Fou du Roy, Oka)

Les boulettes

Préchauffez le barbecue à intensité modérée, environ 200 °C (400 °F). ∾ Combinez tous les ingrédients dans un bol et mélangez jusqu'à homogénéité. Façonnez 4 boulettes. ∾ Faites cuire au barbecue 5 minutes de chaque côté à couvercle fermé. Gardez au chaud.

La mayonnaise aux cornichons

Combinez les ingrédients dans un bol et réservez au frais jusqu'au moment de servir.

La garniture

Dans une poêle moyenne, faites chauffer l'huile à feu vif et faites revenir les champignons. ∾ Ajoutez l'échalote et le fond de veau, réduisez le feu et poursuivez la cuisson jusqu'à complète évaporation du liquide.

Le montage

Grillez ou non les pains à hamburger. ∾ Tartinez un peu de mayonnaise sur la base des pains avant de superposer la laitue, une boulette de viande, le fromage, puis une part de champignons sautés. Couvrez du dessus de pain à hamburger.

LES GROS CHAMPIGNONS PORTOBELLOS
SONT TOUJOURS À LEUR MEILLEUR FARCIS ET
PASSÉS AU GRIL.

Champignons farcis et orge façon risotto — 4 personnes —

125 ml (½ tasse) de pain
rassis déchiqueté

125 ml (½ tasse)
de pacanes rôties

1 gousse d'ail hachée

1 c. à thé de moutarde de Dijon

Zeste et jus de ½ citron lavé

500 ml (2 tasses) de feuilles
de coriandre

80 ml (⅓ tasse) + 2 c. à soupe
d'huile d'olive

80 ml (⅓ tasse) de raisins secs
dorés hachés grossièrement

125 ml (½ tasse)
de cheddar fort râpé

4 champignons portobellos
moyens

Sel et poivre du moulin

Préchauffez le barbecue à intensité moyenne-vive, environ 230 °C (450 °F). ∞ Dans le récipient du robot culinaire, combinez le pain, les pacanes, l'ail, la moutarde, le zeste et la coriandre. Actionnez par touches successives pour obtenir une texture grumeleuse. ∞ Versez 80 ml (⅓ tasse) d'huile, le jus de citron et broyez une dernière fois. ∞ Incorporez les raisins secs et le cheddar. Assaisonnez. ∞ Nettoyez les champignons, coupez les pieds et, à l'aide d'une cuillère, retirez délicatement les lamelles. Badigeonnez-les avec le restant de l'huile, salez et poivrez. ∞ Mettez-les sur les grilles et faites-les rôtir 1 minute de chaque côté. ∞ Éteignez un côté du barbecue. Déposez les champignons sur une plaque, remplissez la cavité de la garniture et poursuivez la cuisson à feu indirect 8-10 minutes jusqu'à ce que la garniture soit croustillante. ∞ Les champignons farcis se mangent tels quels en entrée ou, en plat principal, accompagnés d'orge façon risotto.

Orge façon risotto

½ oignon espagnol émincé

5 c. à soupe de beurre

1 branche de thym effeuillée

250 ml (1 tasse) d'orge perlé

125 ml (½ tasse) de vin blanc

1 l (4 tasses) de bouillon
de poulet chaud

250 ml (1 tasse) de cheddar
fort râpé

Sel et poivre du moulin

Dans une casserole, faites suer à feu doux l'oignon dans 3 c. à soupe de beurre avec le thym. ∞ Ajoutez l'orge et laissez cuire 1 minute en brassant constamment. Déglacez avec le vin blanc et laissez réduire jusqu'à ce que la préparation soit sèche. ∞ Ajoutez une louche de bouillon, remuez et attendez l'absorption complète avant de répéter l'opération jusqu'à épuisement du liquide, environ 40 minutes. ∞ Avant de servir, incorporez le beurre restant et le cheddar. Salez et poivrez.

ENCORE UNE AUTRE RECETTE FACILE ET RAPIDE :
C'EST UNE MANIE CHEZ MOI. LE POULET RESTERA
JUTEUX GRÂCE À LA LAQUE.

Hauts de cuisse de poulet « juteux » — 4 personnes —

8 hauts de cuisse de poulet désossés (1 kg/2 lb)

Marinade

Zeste et jus de 1 citron lavé

3 gousses d'ail hachées finement

2 c. à soupe de romarin haché finement

4 c. à soupe de moutarde de Dijon

3 c. à soupe de sirop d'érable

80 ml (⅓ tasse) d'huile d'olive

Sel et poivre du moulin

Accompagnement
Salade de carottes, céleri et jambon (p. 36)

Dans un petit bol, mélangez tous les ingrédients de la marinade, à l'exception de l'huile. À l'aide d'un petit fouet, émulsionnez la marinade en incorporant graduellement l'huile. Salez et poivrez. ☙ Faites mariner le poulet au moins 2 heures au réfrigérateur. (Si le temps vous manque, laissez mariner 30 minutes à température ambiante.) ☙ Préchauffez le barbecue à intensité moyenne-vive, environ 230 °C (450 °F). ☙ Épongez les hauts de cuisse, salez, poivrez et faites griller de chaque côté 8-10 minutes.

Servir
Accompagnez ce délicieux poulet de la salade de carottes, céleri et jambon.

Truc
Les hauts de cuisse sont idéals pour le barbecue. C'est une viande peu coûteuse et il est difficile d'en rater la cuisson, car sa chair ne s'assèche pas.

CAROTTES GRILLÉES ? FALLAIT Y PENSER, NON ?
EN TOUT CAS, C'EST IDÉAL POUR LES AMATEURS
DE JAMBON OU POUR CEUX QUI AIMENT LES
SALADES-REPAS.

Salade de carottes, céleri et jambon — 4 personnes —

16 petites carottes lavées

Huile d'olive

1 c. à soupe d'estragon haché

3 branches de cœur de céleri hachées grossièrement

4 tranches de jambon speck* grossièrement déchiquetées

4 c. à soupe de crème sure

Sel et poivre du moulin

* **Il s'agit d'un jambon cru italien qui, à la différence du prosciutto, est fumé avant d'être séché.**

Préchauffez le barbecue à intensité modérée, environ 200 °C (400 °F). ✆ Sur une plaque recouverte de papier d'aluminium, déposez les carottes, arrosez d'huile, salez et poivrez. Mettez la plaque sur les grilles et fermez le couvercle. ✆ Laissez cuire les carottes, en les retournant, jusqu'à ce qu'elles soient tendres et colorées. ✆ Transférez dans un bol et mélangez avec l'estragon, le céleri et le jambon speck. Laissez refroidir.

Servir
Au moment de passer à table, disposez la salade dans une assiette de service, garnissez de crème sure, d'un filet d'huile et de poivre.

NE LÉSINEZ PAS SUR LA QUALITÉ DU THON
EN BOÎTE, ÇA FERA TOUTE LA DIFFÉRENCE.

Salade de fenouil
au thon — 4 personnes —

**1 gros ou 2 petits bulbes
de fenouil**

**2 c. à soupe et plus
d'huile d'olive**

3 c. à soupe de câpres

1 citron en quartiers

**1 boîte de 160 g de thon à
l'huile d'olive Rio Mare
partiellement égoutté**

4 c. à soupe d'aneth haché

Sel et poivre du moulin

Préchauffez le barbecue à intensité modérée, environ 200 °C (400 °F). ☙ Grattez les parties abîmées du fenouil, éliminez les tiges et coupez des tranches de 1,5 cm (½ po) sans les détacher du cœur. ☙ Huilez légèrement les grilles et déposez les tranches de fenouil. Faites rôtir de chaque côté jusqu'à ce qu'elles prennent une belle coloration. ☙ Pendant ce temps, dans une petite poêle, chauffez 2 c. à soupe d'huile et ajoutez les câpres. Faites frire sur le barbecue quelques minutes, le temps qu'elles éclatent et deviennent croustillantes. Retirez-les à l'aide d'une écumoire et déposez-les sur un papier absorbant. ☙ Faites rapidement griller les quartiers de citron. ☙ Lorsque les tranches de fenouil sont bien rôties, mettez-les sur une planche et coupez grossièrement. Dans un saladier, combinez-les avec les câpres, le thon et l'aneth. Salez et poivrez. ☙ Servez avec les quartiers de citron.

ÇA PEUT AVOIR L'AIR BANAL, UNE AUTRE
RECETTE DE POULET AU CITRON. POURTANT, EN
SUIVANT QUELQUES RÈGLES TOUTES SIMPLES,
ON ARRIVE À SERVIR UN PLAT ÉLÉGANT.

Poitrines de poulet
et citron — 4 personnes —

**2 grosses poitrines de poulet
de 225 g (½ lb) chacune**

Jus de 1 citron

4 c. à soupe de miel

**2 gousses d'ail finement
hachées**

4 c. à soupe d'huile d'olive

1 citron en 4 rondelles

Sel et poivre du moulin

Accompagnement
**Salade de fenouil
au thon (p. 37)**

À l'aide d'un couteau aiguisé, coupez les poitrines de poulet en 2 sur la longueur. Mettez-les dans un sac plastique refermable. ☙ Dans un petit bol, mélangez le jus de citron, le miel et l'ail jusqu'à ce que le miel soit dissous. Versez l'huile en un long filet en fouettant. ☙ Transvidez sur les poitrines de poulet et laissez mariner 30 minutes à température ambiante ou 2 heures au réfrigérateur. ☙ Préchauffez le barbecue, un côté à intensité vive, environ 260 °C (500 °F), et l'autre à faible intensité, environ 180 °C (350 °F). ☙ Retirez le poulet du sac et épongez le surplus de marinade. Salez et poivrez généreusement. ☙ Huilez les grilles et déposez le poulet et les rondelles de citron du côté de la plus forte chaleur. Faites saisir 2 minutes de chaque côté et transférez ensuite du côté moins chaud. Retirez le citron et réservez. ☙ Fermez le couvercle et poursuivez la cuisson du poulet, 10 minutes, en le retournant régulièrement.

Servir
Disposez le poulet dans chaque assiette avec le citron grillé et accompagnez de la salade de fenouil au thon.

VOICI UN PLAT À MI-CHEMIN ENTRE
LE ROULÉ, LE TOURNEDOS ET… LE SANDWICH
(VOUS ME CONNAISSEZ) ! ET LA PRÉSENTATION
EST SUPERORIGINALE.

Filet de porc farci — 2 personnes —

4 tranches de bacon

**1 filet de porc de 300 g
(10 ½ oz)**

**125 ml (½ tasse) de fromage
de chèvre frais tempéré**

**1 pêche mûre dénoyautée,
en 8 quartiers**

**180 ml (¾ tasse) de petite
roquette**

Sel et poivre du moulin

Préchauffez le barbecue, un côté à intensité vive, environ 260 °C (500 °F), et l'autre à faible intensité, environ 180 °C (350 °F). ☞ Dans une poêle, faites cuire les tranches de bacon. Déposez-les ensuite sur un papier absorbant pour éliminer l'excédent de gras. ☞ À l'aide d'un couteau aiguisé, coupez le filet de porc en 2 sur la longueur. Salez et poivrez la viande de chaque côté. ☞ Faites griller les demi-filets sur la flamme vive 1 minute de tous les côtés et retirez-les. ☞ Déposez le fromage de chèvre en morceaux sur un demi-filet. Couvrez des tranches de bacon, des quartiers de pêche et de la roquette. Posez au-dessus l'autre demi-filet et ficelez le rouleau. Placez dans un papier d'aluminium et fermez hermétiquement. ☞ Déposez du côté de la chaleur la moins forte et laissez cuire 6 minutes. Retournez à mi-cuisson. ☞ Transférez le rouleau sur une planche et laissez reposer la viande 5 minutes avant de retirer le papier d'aluminium et de partager la viande en 2 parts.

DEUX VARIATIONS AUTOUR DE LA BANANE.
LA PREMIÈRE, AU BARBECUE, EST COCHONNE
ET DÉCADENTE. LA SECONDE FERA
GALOPER LES ENFANTS.

Bananes grillées, sauce caramel et pacanes — 2 personnes —

3 c. à soupe de cassonade

160 ml (⅔ tasse)
de crème 35 %

2 bananes sans la pelure

2 c. à soupe d'huile végétale

3 c. à soupe de pacanes
grillées hachées

Préchauffez le barbecue, un côté à intensité moyenne-vive, environ 230 °C (450 °F), et l'autre à faible intensité, environ 180 °C (350 °F). ∞ Dans une petite poêle, combinez la cassonade avec la crème et faites cuire du côté de la chaleur la moins forte jusqu'à dissolution de la cassonade. ∞ Badigeonnez les bananes d'huile et déposez-les sur les grilles huilées du côté de la forte chaleur 2-3 minutes en les retournant durant la cuisson jusqu'à ce qu'elles soient bien colorées.

Servir
Disposez les bananes dans les assiettes de service, nappez-les de sauce et garnissez avec les pacanes.

Bananes givrées sur bâtonnets — 8 personnes —

4 bananes moyennement
mûres, sans la pelure

8 c. à thé de beurre
d'arachide

375 ml (1 ½ tasse) de
chocolat noir ou au lait râpé

Coupez les bananes en 2 tronçons. Piquez chaque morceau sur des bâtonnets de Popsicle. À l'aide d'un couteau, étalez sur chaque banane 1 c. à thé de beurre d'arachide et réservez. ∞ Dans un verre haut et étroit, faites fondre le chocolat au micro-ondes 1 minute. ∞ Placez un papier ciré sur une plaque. Trempez les bananes une à une dans le chocolat pour les enrober et déposez-les sur le papier ciré. ∞ Mettez au congélateur au moins 1 heure avant de déguster.

JEUDI, VENDREDI

JEUDI, VENDREDI

Le jeudi et le vendredi ressemblent généralement à des aventures culinaires. On s'est réchauffés depuis déjà quelques jours en cuisinant simplement, on a pensé à varier le menu, il commence à y avoir moins d'aliments frais dans le garde-manger et il faut utiliser le fromage entamé et les restes de la veille. Dans ces moments-là, on réfléchit globalement, on imagine que le monde se rétrécit et que la planète est dans notre frigo. Et c'est le cas. Les condiments, les laques dont on nappe les viandes et les poissons, les épices

JEUDI, VENDREDI

qui adoucissent ou intensifient le goût naturel des ingrédients, tout cela nous vient souvent d'ailleurs. Le barbecue ne fait pas exception. Autrefois, il fallait chauffer les pierres, aujourd'hui, on craque une allumette, mais le processus et le résultat sont les mêmes : une cuisine à la fois sophistiquée et primitive, de fête et de famille. Pour Louis-François, ce sont ces règles-là qui sont à la base de la cuisine, de l'alimentation et, surtout, des rapports chaleureux entre parents et amis.

ÇA VIENT D'UNE RECETTE PRISE CHEZ
ALAIN ET LEN, À PUERTO VALLARTA, ET QUI SE
FAIT – LITTÉRALEMENT – EN QUELQUES
MINUTES.

Pitas grillés, salsa mexicaine — 4 à 6 personnes —

Salsa

2 épis de maïs

60 ml (¼ tasse) d'oignon rouge émincé finement

2 tomates épépinées en dés

125 ml (½ tasse) de feuilles de coriandre

1 c. à thé de pâte de piment ou de sauce piquante

4 c. à soupe d'huile d'olive

Sel et poivre du moulin

Croustilles

8 pains pitas moyens

4 c. à soupe d'huile d'olive

Sel et poivre du moulin

La salsa

Préchauffez le barbecue à intensité modérée, environ 200 °C (400 °F). ☙ Déposez les maïs sur les grilles et faites cuire 5 minutes en les retournant régulièrement pour les dorer uniformément. Laissez tiédir et égrainez à l'aide d'un couteau. ☙ Transférez le maïs dans un bol et combinez avec les autres ingrédients.

Les croustilles

Badigeonnez les pitas d'huile, salez et poivrez. ☙ Faites griller sur le barbecue 1-2 minutes de chaque côté. ☙ Retirez-les et, tandis qu'ils sont encore chauds, coupez chaque pita en 8 pointes. Servez avec la salsa.

LE CAVIAR D'AUBERGINE, ON N'Y PENSE
PAS SOUVENT. C'EST RAPIDE ET AISÉ À FAIRE,
ÇA A DU « PUNCH » ET ÇA SE MANGE AUSSI
BIEN FROID QUE CHAUD.

Bruschetta d'aubergine et tataki de veau — 6 personnes —

125 ml (½ tasse) d'épices pour bifteck

1 longe de veau de 600 g (1 ⅓ lb)

1 aubergine en tranches de 1,5 cm (½ po)

1 gousse d'ail hachée finement

16 olives noires, dénoyautées, tranchées

2 c. à soupe et plus d'huile d'olive

12 feuilles de basilic déchiquetées

Zeste de 2 citrons lavés

Jus de ½ citron

6 tranches de pain campagnard grillées

90 g (3 oz) de ricotta salata

Fleur de sel et poivre du moulin

Préchauffez le barbecue à intensité moyenne-vive, environ 230 °C (450 °F). ∞ Mettez les épices pour bifteck dans une grande assiette, déposez et roulez le veau pour l'enrober uniformément des épices. ∞ Placez la viande directement sur les grilles et faites saisir de tous les côtés, 3-4 minutes. Transférez le veau sur une planche à découper et laissez reposer à température ambiante. ∞ Pendant ce temps, badigeonnez d'huile les tranches d'aubergine et faites-les griller 2 minutes de chaque côté ou jusqu'à ce qu'elles aient perdu leur texture spongieuse. Coupez-les en dés de 1 cm (³/₈ po). ∞ Dans un grand bol, combinez l'aubergine, l'ail, les olives, 2 c. à soupe d'huile, le basilic, le zeste et le jus de citron. Mélangez et rectifiez les assaisonnements.

Servir
Taillez le veau en tranches fines de 0,5 cm (¼ po) d'épaisseur. Garnissez les pains grillés de bruschetta d'aubergine. Dressez chaque assiette avec la tartine et quelques tranches de tataki de veau. Râpez la ricotta salata généreusement sur le dessus.

MA MÈRE FAISAIT CE PLAT QUAND J'ÉTAIS PETIT.
LA MARINADE TIENT BIEN LA CUISSON, CARAMÉLISE ET
EMPÊCHE LE PORC DE BRÛLER.

Brochettes de porc à la bière, salsa d'ananas — 6 personnes —

**2 filets de porc
de 300 g (10 ½ oz) chacun**

½ bouteille de bière rousse

**80 ml (⅓ tasse)
de sirop d'érable**

**Jus de ½ boîte de 341 ml
(12 oz) d'ananas en tranches**

**4 oignons verts en tronçons
de 2,5 cm (1 po)**

Accompagnement
Salsa d'ananas (ci-dessous)

Détaillez le porc en gros cubes. ∞ Dans un sac plastique refermable, combinez la bière, le sirop d'érable, le jus d'ananas et les cubes de porc. Faites mariner au réfrigérateur au moins 3 heures. ∞ Préchauffez le barbecue à intensité moyenne-vive, environ 230 °C (450 °F). ∞ Utilisez des brochettes de 18 cm (7 po) et enfilez les cubes de porc en alternant avec les tronçons d'oignons verts. Déposez sur les grilles huilées et faites cuire 3 minutes de chaque côté. ∞ Servez avec la salsa d'ananas.

Salsa d'ananas

**1 boîte de 341 ml (12 oz)
d'ananas en tranches**

½ concombre libanais

1 tomate épépinée

1 oignon vert émincé

3 c. à soupe d'huile d'olive

**1 c. à soupe de vinaigre
balsamique blanc**

**Quelques feuilles
de coriandre**

Coupez l'ananas, le concombre et la tomate en petits dés. ∞ Dans un bol, mélangez tous les ingrédients et laissez macérer 30 minutes avant de servir.

LOUIS MORISSETTE M'AVAIT LANCÉ LE DÉFI
DE PRÉPARER LES MEILLEURES CÔTES LEVÉES DU
MONDE. À LUI DE ME DIRE SI J'AI RÉUSSI.

Côtes levées et patatas bravas aux herbes — 6 à 8 personnes —

3 oignons hachés grossièrement

6 cm (2 ½ po)
de gingembre haché

12 gousses d'ail

2 feuilles de laurier

1 piment fort coupé en 2, épépiné

500 ml (2 tasses) de jus
de pomme brut*

3 kg (6 ¾ lb) de côtes
levées de porc

❦

Sauce BBQ

2 gousses d'ail hachées
finement

2 cm (¾ po) de gingembre
haché finement

1 c. à soupe de paprika
fumé (pimentón)

4 c. à soupe de cassonade

2 c. à soupe de pâte de tomate

2 c. à soupe de moutarde de Dijon

125 ml (½ tasse) de jus
de pomme brut*

2 c. à soupe de sauce soya

❦

Accompagnement
**Patatas bravas aux herbes
(p. 57)**

❦

* Jus de pomme qui ne subit aucun
traitement chimique et qui ne
contient que le sucre naturel de la
pomme.

La préparation des côtes levées

Dans une grande marmite, réunissez les oignons, le gingembre, l'ail, le laurier, le piment et le jus de pomme. Ajoutez les côtes de porc (si les longes sont trop longues, coupez-les en 2). Couvrez les côtes d'eau froide. ☙ Sur la cuisinière, portez à ébullition et réduisez le feu pour obtenir un léger frémissement. Faites pocher 1 heure ou jusqu'à ce que la chair se détache facilement des os. ☙ Laissez refroidir dans le bouillon.

La sauce BBQ

Dans un bol, mélangez tous les ingrédients et réservez jusqu'au moment de faire griller les côtes levées.

La cuisson

Préchauffez le barbecue à intensité modérée, environ 200 °C (400 °F). ☙ Retirez les côtes levées du bouillon de cuisson. Asséchez-les et badigeonnez-les de sauce BBQ. ☙ Faites griller au moins 10 minutes en les retournant à quelques reprises et en les badigeonnant de sauce tout au long de la cuisson.

.../57

Patatas bravas aux herbes — 6 personnes —

6 pommes de terre Yukon Gold en 8 quartiers

4 c. à soupe d'huile d'olive

1 c. à soupe de gros sel gris marin* ou de fleur de sel

Poivre du moulin

Sauce tomate

4 tomates coupées en 2, épépinées

½ gousse d'ail

1 c. à soupe de pâte de tomate

½ c. à thé de paprika ou de piment moulu

3 c. à soupe d'huile d'olive

250 ml (1 tasse) d'herbes (persil, ciboulette, thym) hachées grossièrement

Sel et poivre du moulin

* **Naturellement gris, ce sel est enrichi d'oligo-éléments et se prête bien à la cuisson des légumes dont il rehausse la saveur. Il reste humide, ce qui le rend très soluble. Un bon achat économique, de surcroît.**

Les pommes de terre

Préchauffez le barbecue à intensité vive, environ 260 °C (500 °F). ∞ Sur une plaque couverte de papier d'aluminium, combinez les pommes de terre, l'huile, le sel et le poivre. ∞ Pour une cuisson indirecte, déposez la plaque sur la partie supérieure du barbecue ou, au moment de préchauffer le barbecue, laissez un côté éteint et déposez la plaque dessus. Fermez le couvercle et laissez cuire, en remuant de temps en temps, au moins 20 minutes ou jusqu'à ce que les pommes de terre soient tendres et dorées.

La sauce tomate

Pendant ce temps, pressez les tomates entre vos doigts afin d'en extraire le maximum d'eau. Déposez-les directement sur les grilles huilées et faites cuire quelques minutes. ∞ Dans le récipient du robot culinaire, combinez les tomates, l'ail, la pâte de tomate, le paprika et broyez jusqu'à l'obtention d'une purée. Versez l'huile en un long filet en continuant de mélanger. ∞ Si la sauce semble trop liquide, transférez-la dans une petite poêle et laissez réduire, à feu doux, jusqu'à l'obtention de la consistance désirée. ∞ Assaisonnez et versez sur les pommes de terre. Garnissez des fines herbes.

N. B. Les patatas bravas font partie de la cuisine espagnole traditionnelle. Les pommes de terre sont servies avec une sauce relevée à base de tomates, parfois de poivrons rouges et de paprika fort.

Crevettes au gingembre et nouilles soba — 4 personnes —

16 crevettes 8/12 décortiquées, avec la queue

Marinade

2 c. à soupe de graines de sésame rôties

2,5 cm (1 po) de gingembre râpé

1 gousse d'ail hachée finement

2 c. à soupe de sirop d'érable

2 c. à soupe d'huile d'olive

Sel et poivre du moulin

Nouilles soba

1 paquet de 454 g (1 lb) de nouilles soba

2 c. à soupe de beurre d'arachide crémeux

1 gousse d'ail hachée

2 c. à soupe de sauce soya

2 c. à soupe d'assaisonnement mirin

1 c. à thé d'huile de sésame

2 oignons verts émincés

500 ml (2 tasses) de jeunes épinards

Quelques feuilles de basilic ou de coriandre

Oignons frits, au goût

Les crevettes

Dans un moulin à café, pulvérisez les graines de sésame. ✎ Dans un sac plastique refermable, combinez tous les ingrédients de la marinade. Mélangez et ajoutez les crevettes. Faites mariner au moins 30 minutes. ✎ Préchauffez le barbecue à intensité moyenne-vive, environ 230 °C (450 °F). ✎ Retirez les crevettes et enlevez le surplus de marinade. Faites griller de chaque côté durant 2 minutes.

Les nouilles soba

Faites cuire les nouilles dans une eau bouillante salée 5 minutes. Égouttez-les en gardant 125 ml (½ tasse) d'eau de cuisson. ✎ Dans un bol, combinez le beurre d'arachide, l'ail, l'eau de cuisson réservée, la sauce soya, le mirin et l'huile de sésame. Mélangez parfaitement et versez sur les nouilles chaudes. ✎ Ajoutez les autres ingrédients, mélangez et servez immédiatement avec les crevettes au gingembre.

N. B. Les nouilles soba sont des nouilles de blé et de sarrasin d'origine japonaise. Le mirin est un assaisonnement typique de la cuisine japonaise fait à partir de riz et d'alcool. Quant aux oignons frits, on les trouve également dans les épiceries asiatiques.

INSPIRÉ DU DORÉ AMANDINE DE LA CUISINE
FRANÇAISE, MAIS ADAPTÉ À MON RÉGIME SANTÉ
(ET SURTOUT MENTAL, AVEC LES POINTES
D'ACIDITÉ DES CÂPRES) !

Doré au fenouil, beurre aux câpres — 4 personnes —

**2 filets de doré de lac
de 225 g (½ lb) chacun,
avec la peau**

**½ bulbe de fenouil
finement émincé**

Zeste de 1 citron lavé

**125 ml (½ tasse) d'amandes
grillées grossièrement
hachées**

3 c. à soupe d'huile d'olive

Sel et poivre du moulin

Beurre aux câpres

3 c. à soupe de beurre salé

2 c. à soupe de câpres

2 c. à soupe d'huile d'olive

Jus de 1 citron

Poivre du moulin

Accompagnement
**Couscous, pois chiches
et dattes (p. 62)**

Préchauffez le barbecue à intensité moyenne-vive, environ 230 °C (450 °F). ☜ Sur un plan de travail, placez les deux filets de poisson côté peau et assaisonnez-les. Mettez sur l'un d'eux le fenouil, parsemez de zeste et d'amandes, arrosez d'huile et assaisonnez. Couvrez avec le second filet et ficelez fermement. ☜ Placez le poisson ficelé dans un panier de cuisson pour poisson entier. Déposez sur les grilles, fermez le couvercle et faites cuire 8 minutes. ☜ Retournez le poisson et poursuivez la cuisson 8 minutes de plus. ☜ Retirez du barbecue et laissez reposer 5 minutes.

Le beurre aux câpres

Pendant ce temps, mettez une petite poêle sur les grilles, faites brunir légèrement le beurre, incorporez les câpres et laissez cuire 2 minutes. ☜ Transvidez dans un petit bol, ajoutez l'huile, le jus de citron et le poivre.

Servir

Retirez la ficelle du poisson, partagez en parts égales et disposez dans les assiettes avec le beurre aux câpres et le couscous, pois chiches et dattes.

LE COUSCOUS FAIT PARTIE DE MON
ALIMENTATION. BENJAMIN, LE FILS DE MA BLONDE,
ADORE LES POIS CHICHES, ALORS CE PLAT EST
UN PEU DEVENU UNE RECETTE DE FAMILLE !

Couscous, pois chiches et dattes — 4 à 6 personnes —

310 ml (1 ¼ tasse) de bouillon de poulet

250 ml (1 tasse) de couscous

3 c. à soupe d'huile d'olive

1 boîte de pois chiches de 540 ml (19 oz) rincés, égouttés

4 dattes fraîches en morceaux

4 c. à soupe d'herbes (coriandre, persil, menthe) hachées

Sel et poivre du moulin

Faites chauffer le bouillon de poulet au micro-ondes. ✎ Dans un bol, mettez le couscous, 1 c. à soupe d'huile, salez et poivrez. Mélangez avec les mains afin que l'huile enrobe chaque grain de couscous. ✎ Ajoutez suffisamment de bouillon chaud pour couvrir la semoule. Mettez un couvercle et laissez reposer 10 minutes. Vérifiez si le couscous est tendre et, si nécessaire, ajoutez du bouillon chaud et attendez quelques minutes de plus. ✎ Incorporez le restant d'huile, les pois chiches, les dattes et parsemez du hachis d'herbes avant de servir.

JE TROUVE QU'ON SOUS-ESTIME LE BROCOLI.
QUAND C'EST BIEN PRÉPARÉ, PAS TROP CUIT,
BIEN RELEVÉ, ON PEUT FAIRE DE TRÈS BELLES
CHOSES AVEC CE LÉGUME.

Brocoli au yogourt — 4 personnes —

1 brocoli

**1 c. à soupe et plus
d'huile d'olive**

180 ml (¾ tasse) de yogourt

½ c. à thé de cumin moulu

Zeste de 1 citron lavé

Jus de ½ citron

**2 c. à soupe de graines
de sésame rôties**

Sel et poivre du moulin

Préchauffez le barbecue à intensité modérée, environ 200 °C (400 °F). ☞ Coupez le brocoli de la tête jusqu'au pied pour obtenir 4 parts. ☞ Badigeonnez légèrement d'huile et déposez sur les grilles. Faites cuire, en retournant souvent, jusqu'à ce que la pointe d'un petit couteau pénètre facilement. ☞ Pendant ce temps, dans un petit bol, mélangez les autres ingrédients, à l'exception des graines de sésame. Assaisonnez.

Servir
Dès que le brocoli est cuit, disposez-le dans une assiette de service, versez la sauce, parsemez des graines de sésame et poivrez.

LES PORTUGAIS SAVENT FAIRE CE PLAT
COMME NOUS LES CUISSES DE POULET. COUPLEZ
ÇA À DE LA SAUCISSE ET VOUS AVEZ UNE
« ASSURANCE SAVEUR » !

Salade tiède de calmars grillés — 4 personnes —

8 calmars moyens nettoyés

3 saucisses italiennes

1-2 échalotes françaises émincées

2 gousses d'ail hachées

125 ml (½ tasse) de persil haché

3 c. à soupe et plus d'huile d'olive

Sel et poivre du moulin

Accompagnement
Brocoli au yogourt (p. 63)

Préchauffez le barbecue à intensité modérée, environ 200 °C (400 °F). ∞ Coupez les tentacules des calmars, hachez-les finement et mettez dans un bol. Placez les calmars sur un plan de travail. ∞ Retirez la peau des saucisses et déposez la chair dans le bol contenant les tentacules hachées avec l'échalote, l'ail, le persil et l'huile. Assaisonnez généreusement. ∞ Transvidez la farce dans un sac plastique refermable et coupez un des coins. Remplissez les calmars de farce en pressant fermement sur le sac. Refermez les calmars avec des cure-dents. Badigeonnez d'huile et assaisonnez. ∞ Déposez sur les grilles huilées et faites saisir de tous les côtés. ∞ Transférez les calmars dans un plat peu profond huilé, couvrez de papier d'aluminium et placez sur la grille du haut (s'il n'y en a pas, éteignez un côté et déposez le plat de ce côté). Poursuivez la cuisson 20 minutes.

Servir
Au terme de la cuisson, tranchez chaque calmar en rondelles de 2 cm (¾ po) et accompagnez ce mets délectable de brocoli au yogourt (p. 63).

REMPLACEZ LA TOMATE PAR DES PÊCHES BIEN
FRAÎCHES, ET VOUS AVEZ UNE VARIANTE FORMIDABLE
D'UNE VIEILLE RECETTE.

Burgers de veau, cheddar, concombre, pêche — 4 personnes —

Boulettes

500 g (1 lb) de veau haché

145 g (5 oz) de fromage cheddar en grains

80 ml (⅓ tasse) de chorizo en dés

4 c. à soupe de chapelure nature

2 c. à soupe de basilic haché

Poivre du moulin

Mayonnaise épicée

4 c. à soupe de mayonnaise

1 c. à thé de pâte de piment ou de sauce piquante

Garnitures

1 concombre libanais

4 pains à hamburger grillés

Feuilles de laitue iceberg

1 pêche mûre en quartiers minces

Préchauffez le barbecue à intensité moyenne-vive, environ 230 °C (450 °F). ∞ Dans un bol, mélangez tous les ingrédients des boulettes. Façonnez 4 galettes et déposez-les sur les grilles huilées. Fermez le couvercle et faites cuire 4 minutes de chaque côté. ∞ Pendant ce temps, dans un petit bol, mélangez la mayonnaise et la pâte de piment. ∞ Taillez sur la longueur les concombres en tranches fines.

Le montage
Tartinez la mayonnaise épicée sur la base des pains, déposez la laitue, les galettes de veau, les lanières de concombre repliées et les quartiers de pêche. Refermez et dégustez.

UNE AUTRE RECETTE D'INSPIRATION ITALIENNE
PURE ET DURE – EN DÉPIT DU FROMAGE HOLLANDAIS,
QU'ON PEUT REMPLACER PAR UN FROMAGE
À PÂTE FERME ITALIEN.

Faux-filets piqués au gouda, salade de poivrons et d'asperges — 4 personnes —

170 g (6 oz) de gouda vieux

**2 biftecks de faux-filets
de bœuf (500 g/1 lb chacun)
de 5 cm (2 po) d'épaisseur**

**4 branches de romarin
coupées en 2**

2 c. à soupe de parmesan râpé

Sel et poivre du moulin

* * *

Vinaigrette

2 c. à soupe d'huile d'olive

**3 c. à thé de vinaigre
balsamique âgé**

1 gousse d'ail hachée

2 c. à thé de persil haché

Fleur de sel

* * *

Accompagnement
**Salade de poivrons et
d'asperges (ci-dessous)**

La cuisson de la viande

Préchauffez le barbecue, un côté à intensité vive, environ 260 °C (500 °F), et l'autre éteint. ☙ Taillez des bâtonnets de fromage de 0,5 x 2 cm (¼ x ¾ po). ☙ Salez et poivrez généreusement les faux-filets. Faites-les saisir des 2 côtés et placez-les sur le plan de travail. À l'aide de la pointe d'un couteau, pratiquez de petites entailles pour insérer le gouda et le romarin. ☙ Emballez individuellement les pièces de viande dans du papier d'aluminium double épaisseur et mettez sur les grilles, du côté éteint pour une cuisson indirecte. Faites cuire 10 minutes. ☙ Remettez-les sur le plan de travail et laissez reposer 10 minutes avant de couper chaque faux-filet en 2. ☙ Préparez la vinaigrette en fouettant ensemble tous les ingrédients.

Servir

Disposez la moitié d'un faux-filet dans chaque assiette, arrosez de vinaigrette, parsemez de parmesan et répartissez la salade de poivrons et d'asperges.

Salade de poivrons et d'asperges

**2 poivrons orange épépinés,
en 8 quartiers**

10 grosses asperges

2 tasses de petite roquette

3 c. à soupe d'huile d'olive

**1 c. à soupe de vinaigre
balsamique âgé**

Sel et poivre du moulin

Préchauffez le barbecue à intensité modérée, environ 200 °C (400 °F). ☙ Faites griller les légumes en les retournant réguliè-rement. ☙ Dans un grand saladier, combinez tous les ingrédients.

UN CÔTÉ ASIATIQUE POUR UNE VIANDE PAS
COMMODE QU'ON GAGNE À DÉGRAISSER UN PEU
AVANT DE LA METTRE SUR LES GRILLES.

Magrets de canard, salade de rapinis et de prunes — 4 personnes —

80 ml (⅓ tasse)
de sauce soya

2 c. à soupe de sirop
d'érable

1 c. à soupe
de gingembre râpé

1 botte de rapinis

2 c. à soupe d'huile d'olive

250 ml (1 tasse)
de champignons variés
(shiitake, pleurotes,
champignons de Paris)
émincés

1 gousse d'ail hachée

2 magrets de canard
de 360 g (¾ lb) chacun

Sel et poivre du moulin

Accompagnement
**Salade de rapinis
et de prunes (p. 73)**

Les légumes

Préchauffez le barbecue à intensité modérée, environ 200 °C (400 °F). ❧ Dans une petite casserole, combinez la sauce soya, le sirop d'érable et le gingembre. Retirez quelques feuilles à la base des rapinis et badigeonnez d'un peu de sauce. ❧ Déposez les rapinis sur les grilles huilées et faites cuire 6 minutes en les retournant à mi-cuisson. Retirez les légumes et laissez tiédir. ❧ Sur le barbecue ou sur la cuisinière, dans une poêle, chauffez l'huile et faites sauter les champignons avec l'ail. Salez et poivrez.

Les magrets

Retirez un peu de gras sur les magrets et, à l'aide d'un couteau aiguisé, ouvrez le magret comme un livre. Badigeonnez l'intérieur de la chair de la sauce préparée. ❧ Utilisez la moitié des tiges de rapinis (sans les bouquets) pour mettre au centre des magrets avec les champignons sautés. (Conservez les bouquets et l'autre moitié des tiges pour la salade.) Fermez les magrets et ficelez-les. ❧ Déposez les magrets sur les grilles et faites cuire 10-12 minutes en les retournant régulièrement. (Lors de la cuisson, le gras qui tombe dans le fond du barbecue risque de prendre en feu. Pour éviter que les magrets brûlent, ayez à proximité un vaporisateur d'eau pour éteindre les flammes trop vives.) ❧ Lorsque la cuisson est terminée, enrobez les magrets de papier d'aluminium et laissez reposer la viande au moins 5 minutes.

Servir

Taillez les magrets en médaillons et disposez dans les assiettes avec la salade de rapinis et de prunes.

.../73

Salade de rapinis et de prunes — 4 personnes —

2 prunes

1 c. à soupe d'huile d'olive

6 branches de thym effeuillées

3 c. à soupe de miel

Rapinis grillés (p. 70)

Sel et poivre du moulin

Coupez les prunes en 8 quartiers chacune. ☞ Sur la cuisinière, chauffez l'huile dans une poêle et faites dorer les quartiers de prunes 2 minutes de chaque côté. Salez, poivrez et ajoutez le thym. Versez le miel, éteignez le feu et laissez reposer quelques minutes. ☞ Émincez les rapinis grillés et mettez-les dans un saladier avec les prunes. Rectifiez l'assaisonnement.

Variantes
Vous pouvez remplacer les rapinis par des brocolis ou des asperges.

Melon grillé au miel, sésame et pistaches — 4 personnes —

½ **cantaloup épépiné**

1 **c. à soupe d'huile végétale**

3 **c. à soupe de miel**

½ **c. à thé d'eau de fleur d'oranger**

1 **c. à soupe de graines de sésame rôties**

3 **c. à soupe de pistaches**

Préchauffez le barbecue à intensité moyenne-vive, environ 230 °C (450 °F). ∞ Coupez le melon en 8 quartiers. Huilez les quartiers avant de les déposer sur les grilles. Faites cuire jusqu'à ce que les grilles marquent la chair des melons. ∞ Dans une petite poêle, faites fondre le miel avec la fleur d'oranger.

Servir
Disposez dans chaque assiette les quartiers de melon, arrosez de miel à la fleur d'oranger et parsemez de graines de sésame et de pistaches.

JE FAIS CE DESSERT-LÀ POUR LES ENFANTS,
PARCE QUE C'EST UN PEU COQUIN. ASSUREZ-VOUS
DE TOUJOURS PRENDRE DES FRUITS DE SAISON !

Brochettes de fruits, trempette de yogourt au chocolat — 12 brochettes —

1 banane

12 fraises

½ cantaloup

1 c. à soupe d'huile végétale

125 ml (½ tasse) de chocolat au lait haché grossièrement

1 c. à soupe comble de beurre d'amande

3 c. à soupe de lait

3 c. à soupe de yogourt

Les fruits

Préchauffez le barbecue à intensité modérée, environ 200 °C (400 °F). ∞ Taillez la banane en 12 rondelles de 1,5 cm (½ po). Équeutez les fraises. Coupez le cantaloup en 12 cubes de 2,5 cm (1 po). ∞ Sur 12 brochettes en bois de 10 cm (4 po), piquez une rondelle de banane, une fraise et un cube de melon. Badigeonnez les fruits d'huile. ∞ Déposez les brochettes sur les grilles et faites cuire 1 minute de chaque côté.

La trempette

Pendant ce temps, dans un petit bol, combinez le chocolat, le beurre d'amande et le lait. Mettez au micro-ondes, à puissance élevée, 30 secondes. ∞ Mélangez à la cuillère jusqu'à ce que le chocolat ait fondu. Incorporez le yogourt. ∞ Servez avec les brochettes de fruits.

Truc

Vous pouvez préparer la trempette à l'avance et la réfrigérer.
Au moment de servir, passez-la de nouveau au micro-ondes quelques secondes pour retrouver la consistance désirée.

WEEK-END

WEEK-END

La semaine de travail se termine, le plaisir commence. Surtout celui de cuisiner. Il ne reste plus rien de frais au frigo ? Il faut donc faire les courses. On harmonise le vin et le fromage, les fruits et les légumes, on trouve des idées nouvelles et exotiques en allant dans les marchés et l'inspiration nous vient au milieu de la foule qui, comme nous, planifie ses soirées de week-end avec la famille ou les amis. Ou les deux. Cuisiner le samedi et le dimanche implique qu'on y mette de l'effort, qu'on pense et qu'on planifie un menu un peu plus

WEEK-END

formel ou un peu plus fantaisiste, en tout cas
moins prévisible, et qu'on sorte la vaisselle,
du dimanche justement. L'avantage de la
cuisine au gril, c'est que, le temps qui n'est
pas compté, on le passe surtout à s'amuser,
à bavarder, à boire un verre pour se détendre
et changer le monde. Chez Louis-François,
à la campagne ou à la maison, le barbecue
n'est jamais bien loin ni jamais bien froid.
Toujours prêt à servir d'excuse pour recevoir
et partager des moments d'intimité. En un
sens, ces repas bien songés, c'est aussi le
salut de l'âme.

CE PLAT ME RAPPELLE UN RESTO BAPTISÉ
GIGI OÙ JE SUIS ALLÉ AU SUD DU PORTUGAL. L'IDÉE
ÉTANT DE TRAVAILLER LES COQUILLAGES
SUR LE BARBECUE.

Palourdes, beurre aux herbes et asperges — 4 personnes —

16 asperges

12 grosses palourdes nettoyées

Beurre aux herbes

80 ml (⅓ tasse) de beurre ramolli

80 ml (⅓ tasse) d'herbes (estragon, persil, coriandre) hachées

1 gousse d'ail hachée finement

Jus de ½ citron

Sel et poivre du moulin

Le beurre aux herbes

Dans le récipient d'un robot culinaire, combinez tous les ingrédients et broyez pour homogénéiser le tout. Salez et poivrez généreusement. ∽ Réservez à température ambiante.

Les palourdes

Préchauffez le barbecue, un côté à intensité vive, environ 260 °C (500 °F), et l'autre à intensité modérée, environ 200 °C (400 °F). ∽ Badigeonnez les asperges d'huile. ∽ Déposez les palourdes (partie creuse vers le bas) directement sur les grilles et faites cuire 5-8 minutes jusqu'à ce que les coquilles commencent à s'ouvrir. ∽ Retirez-les alors du feu. Garnissez les coquilles d'une généreuse cuillerée de beurre aux herbes. ∽ Remettez-les sur le barbecue du côté de la température la moins élevée ainsi que les asperges. Laissez cuire 3 minutes en tournant les asperges à mi-cuisson afin qu'elles rôtissent uniformément.

Servir

Disposez dans chaque assiette 4 asperges que vous surmonterez de 3 palourdes.

LA PÊCHE PASSÉE AU GRIL, C'EST HALLUCINANT !
C'EST LE GENRE DE LUNCH QUE JE ME FAIS QUAND
JE N'AI PAS TROP D'IDÉES. UNE SALADE
DE PARESSEUX.

Bresaola et pêches caramélisées au poivre — 4 personnes —

2 pêches moyennement mûres coupées en 2, dénoyautées

3 c. à soupe de miel

125 ml (½ tasse) de vin blanc sec

1 branche de romarin

1 chaton de poivre long* coupé en 2 ou 5-6 grains de poivre noir

1 petite laitue niçoise ou quelques feuilles de laitue frisée

12 tranches de bresaola ou de viande des Grisons, de jambon de Parme, de rosette de Lyon

2 c. à soupe d'huile d'olive

Zeste de 1 citron lavé

Sel et poivre du moulin

* **C'est un poivre très parfumé, entre la cannelle, l'anis et la réglisse. Moins piquant que le poivre noir, il dégage une note fruitée.**

Préchauffez le barbecue à intensité modérée, environ 200 °C (400 °F). ⚬ Nettoyez et huilez les grilles avant d'y déposer les demi-pêches côté chair. Faites cuire pendant 5 minutes et retournez-les pour 3 minutes de plus de cuisson. ⚬ Pendant ce temps, sur la cuisinière, dans une petite poêle, combinez le miel, le vin blanc, le romarin et le poivre long. Portez à ébullition, baissez le feu au minimum et laissez réduire de moitié. ⚬ Retirez le poivre long et la branche de romarin.

Servir
Garnissez chaque assiette de feuilles de laitue, de 3 tranches de bresaola et placez au centre une demi-pêche. Salez, poivrez et répandez un filet d'huile. Arrosez de sauce au miel et parsemez de zeste de citron.

L'ASSOCIATION QUASI MIRACULEUSE DES
COQUILLAGES ET DES SAUCISSES (PARCE QUE
ÇA FONCTIONNE SI BIEN), UN CLIN D'ŒIL
À MON POTE CARLOS.

Salade de moules, chorizo et maïs — 4 à 6 personnes —

30 moules nettoyées

1 morceau de chorizo de 8 cm (3 po)

1 épi de maïs en tronçons de 1,5 cm (½ po)

18 tomates cerises sur grappe

2 c. à soupe de vinaigre de xérès

2 c. à soupe d'huile d'olive

½ petit oignon rouge émincé

500 ml (2 tasses) de jeunes épinards

125 ml (½ tasse) d'herbes (coriandre, persil, ciboulette) hachées

1 pincée de paprika fumé (pimentón)

Sel et poivre du moulin

Préchauffez le barbecue à intensité modérée, environ 200 °C (400 °F). ∞ Mettez les moules dans une grande poêle pouvant supporter une forte température, couvrez et placez sur les grilles. Déposez le morceau de chorizo, les tronçons de maïs et les grappes de tomates cerises sur les grilles. (Vous pouvez aussi mettre les tomates cerises sur une plaque.) Fermez le couvercle du barbecue. ∞ Faites cuire environ 10 minutes en retournant les légumes à 2 reprises. Retirez les tomates cerises lorsqu'elles ont ramolli, le chorizo et le maïs dès qu'ils sont bien grillés. Lorsque les coquilles des moules commencent à s'ouvrir, secouez la poêle et retirez du feu. ∞ Dans un petit bol, récupérez 2 c. à soupe du jus de cuisson des moules et mélangez avec le vinaigre et l'huile. Tranchez le chorizo en rondelles. ∞ Dans un grand saladier, combinez tous les ingrédients et arrosez de la sauce. Assaisonnez de sel, de poivre et d'une pincée de paprika fumé.

Servir
Cette salade se mange tiède ou froide.

L'UNE DES MANIÈRES LES PLUS EFFICACES
DE PRÉPARER LES BETTERAVES QUI DÉVELOPPERONT
UN GOÛT SUCRÉ.

Salade de betteraves et de fromage grillé — 4 personnes —

4 betteraves jaunes moyennes

1 saucisse italienne forte

8 tranches de 2 x 5 cm (¾ x 2 po) de fromage Fleur Saint-Michel ou Doré-Mi ou halloom*

4 c. à soupe de graines de citrouille légèrement rôties

500 ml (2 tasses) de cresson

Quelques feuilles de menthe grossièrement déchiquetées

2 c. à soupe d'huile d'olive

Sel et poivre du moulin

* **Ces fromages ont la particularité de ne pas fondre à la cuisson, ce qui les rend particulièrement intéressants pour les grillades. Le halloom doit cependant être dessalé en étant trempé dans l'eau avant l'utilisation.**

Préchauffez le barbecue, un côté à intensité vive, environ 260 °C (500 °F), et l'autre éteint. ∞ Emballez individuellement les betteraves dans un papier d'aluminium double épaisseur et placez-les sur le barbecue du côté éteint ou encore sur la grille du haut pour une cuisson indirecte. Selon la grosseur, faites cuire au moins 35 minutes. ∞ Lorsqu'une lame de couteau transperce facilement la chair, retirez-les et laissez-les tiédir avant de les peler. Coupez les betteraves en tranches. ∞ Faites griller la saucisse aussi en cuisson indirecte 10-12 minutes. ∞ Nettoyez et huilez les grilles. Mettez les tranches de fromage sur les grilles du côté éteint. Faites griller 1 minute, retournez à l'aide d'une spatule et poursuivez la cuisson 1 minute. ∞ Dans un saladier, combinez tous les ingrédients, à l'exception du fromage et de la menthe.

Servir
Partagez la salade dans 4 assiettes, garnissez de fromage, de menthe, et arrosez d'un filet d'huile.

Truc
Le seul avantage de faire bouillir les saucisses avant de les griller est de leur permettre d'éliminer un peu de matière grasse. Afin de garder toute leur saveur, choisissez des saucisses de qualité (généralement moins grasses) et faites-les griller sans les blanchir préalablement. Au barbecue, évitez de les mettre sur la flamme vive directe.

JE FAIS CETTE MARINADE DE POULET À SEC
AVANT DE GRILLER, MAIS J'AIME AUSSI AJOUTER UN
PEU DE YOGOURT POUR DÉTENDRE LES CHAIRS.

Brochettes de poulet massala, raïta et galettes dorées — 4 à 6 personnes —

**3 poitrines de poulet
de 360 g (¾ lb) chacune**

Sel

Massala

**1 c. à thé de capsules de
cardamome verte**

2 feuilles de laurier

**1 c. à thé de grains
de poivre noir**

1 c. à soupe de graines de cumin

**1 c. à soupe de graines
de coriandre**

½ bâton de cannelle

5 clous de girofle

Accompagnements
Raïta (ci-dessous)

Galettes dorées (p. 93)

Coupez chaque poitrine de poulet en 3 sur la longueur. Mettez les lanières de poulet dans un sac plastique refermable. ∞ Dans un moulin à café, broyez les épices du massala jusqu'à l'obtention d'une poudre fine. ∞ Ajoutez 3 c. à soupe du mélange d'épices au poulet et secouez le sac pour l'enrober. Faites mariner 30 minutes au réfrigérateur. ∞ Pendant ce temps, faites tremper 9 brochettes en bois dans l'eau. Préchauffez le barbecue à intensité modérée, environ 200 °C (400 °F). ∞ Embrochez le poulet et salez. Faites griller 10 minutes en retournant régulièrement.

N. B. Conservez le reste du mélange d'épices massala pour parfumer un poisson ou mélangez à du yogourt nature pour accompagner une viande.

Raïta

**1 concombre libanais
en petits dés**

**8 feuilles de menthe hachées
grossièrement**

**1 c. à soupe de graines
de sésame grillées**

**250 ml (1 tasse) de yogourt grec
ou de type méditerranéen**

Sel et poivre du moulin

Dans un petit bol, combinez tous les ingrédients et servez avec les brochettes de poulet.

.../93

Galettes dorées — 6 galettes —

410 ml (1 ⅔ tasse)
de farine 00*

410 ml (1 ⅔ tasse) de farine

2 c. à thé de poudre à pâte

1 c. à thé de sel

180 ml (¾ tasse)
de lait chaud

4 c. à soupe et plus
d'huile d'olive

---

* Cette farine très fine a une
plus haute teneur en gluten,
mais vous pouvez aussi réussir
la recette avec seulement de la
farine tout usage.

Dans un grand bol, réunissez les ingrédients secs, incorporez peu à peu le lait et 4 c. à soupe d'huile en mélangeant douce- ment avec une cuillère en bois jusqu'à l'obtention d'une boule. ☞ Déposez la pâte sur un plan de travail fariné, pétrissez avec vigueur pendant 15 minutes. Remettez la pâte dans le bol, couvrez d'un linge légèrement humide et laissez reposer 1 heure à température ambiante. ☞ Préchauffez le barbecue à intensité modérée, environ 200 °C (400 °F). ☞ Divisez la pâte en 6 et façonnez chaque part en galette ovale de 10 x 20 cm (4 x 8 po). ☞ Badigeonnez les galettes d'un peu d'huile et déposez-les directement sur les grilles. Laissez-les dorer de chaque côté environ 1 minute et servez immédiatement.

LE TRUC AVEC LA CÔTE DE PORC, C'EST DE LA SERVIR
ROSÉE. ET, SI ON N'A PAS DE MAÏS FRAIS POUR LA SALSA,
ON N'A QU'À PRENDRE DU MAÏS EN BOÎTE.

Côtes de porc, salsa de maïs — 4 personnes —

**4 c. à soupe de sirop
d'érable**

**4 c. à soupe de moutarde
de Dijon**

**3 gousses d'ail hachées
finement**

Zeste et jus de 1 citron lavé

6 c. à soupe d'huile d'olive

**4 côtelettes de porc de 200 g
(7 oz) chacune**

Sel et poivre du moulin

Accompagnement
Salsa de maïs (ci-dessous)

Dans un petit bol, mélangez le sirop d'érable, la moutarde, l'ail, le zeste et le jus de citron. À l'aide d'un petit fouet, incorporez graduellement l'huile pour émulsionner la sauce. Salez et poivrez. ☞ Réservez 3 c. à soupe pour la salsa et mettez le restant avec les côtelettes de porc dans un sac plastique refermable. Laissez mariner 2-3 heures au réfrigérateur. (Si le temps vous manque, 30 minutes à température ambiante.) ☞ Préchauffez le barbecue à intensité moyenne-vive, environ 230 °C (450 °F). ☞ Épongez le surplus de marinade sur les côtelettes, salez, poivrez et déposez-les sur les grilles huilées. Fermez le couvercle et faites cuire de chaque côté 3 minutes. ☞ Retirez du barbecue, emballez dans du papier d'aluminium et laissez reposer la viande 3 minutes.

Salsa de maïs

1 épi de maïs

**80 ml (⅓ tasse) d'ananas
en dés**

**3 c. à soupe de la marinade
(ci-dessus)**

**2 c. à soupe d'huile
d'olive**

**3 c. à soupe de ciboulette
ciselée**

Sel et poivre du moulin

Déposez l'épi sur les grilles du barbecue et faites dorer de chaque côté 2 minutes. Retirez, laissez refroidir un peu et égrainez à l'aide d'un couteau. ☞ Dans un petit bol, combinez tous les ingrédients et rectifiez l'assaisonnement.

LE CUMIN ÉVOQUE POUR MOI LA CUISINE
MAROCAINE. VOICI MA VERSION DES KEFTAS
ET DU HOUMMOS.

Boulettes d'agneau, crème sure à la roquette — 4 personnes —

Boulettes

500 g (1 lb) d'agneau haché

2 gousses d'ail hachées finement

1 œuf

3 c. à soupe de tahini (pâte de sésame)

½ c. à thé de cumin moulu

Sel et poivre du moulin

Accompagnement
Crème sure à la roquette (ci-dessous)

Préchauffez le barbecue à intensité modérée, environ 200 °C (400 °F). Faites tremper 4 brochettes en bois de 23 cm (9 po). ∞ Dans un grand bol, combinez tous les ingrédients et mélangez. (Faites cuire une cuillerée de la préparation au micro-ondes, 10 secondes. Rectifiez l'assaisonnement, si nécessaire.) Façonnez 12 boulettes de la grosseur d'une balle de golf. ∞ Enfilez 3 boulettes sur chaque brochette. Déposez-les sur les grilles huilées. Faites cuire en retournant régulièrement 6 minutes. ∞ Servez une brochette à chaque convive avec la crème sure à la roquette.

Crème sure à la roquette

250 ml (1 tasse) de petite roquette

1 gousse d'ail hachée

1 c. à thé de tahini (pâte de sésame)

125 ml (½ tasse) d'huile d'olive

3 c. à soupe de crème sure

Sel et poivre du moulin

Dans le récipient d'un robot culinaire, combinez la roquette, l'ail et le tahini. Broyez jusqu'à l'obtention d'une purée lisse. ∞ Actionnez par touches successives en versant l'huile en un long filet. ∞ Transvidez le mélange dans un bol et, à l'aide d'une spatule, incorporez la crème sure. Assaisonnez.

ÇA, C'EST DES IDÉES NOUVELLES POUR
MARC-ANDRÉ, UN BON CHUM, QUI FAIT TOUJOURS
DES GIGOTS QUAND ON VA ENSEMBLE AU CHALET.

Gigot d'agneau grec — 6 personnes —

1,5 kg (3 lb) de gigot
d'agneau désossé

4 c. à soupe de cassonade

2 c. à thé d'origan sec

4 gousses d'ail hachées

1 c. à soupe de gros sel gris
marin* ou de fleur de sel

1 c. à thé de poivre
noir moulu

Zeste de 2 oranges lavées

* Naturellement gris, ce sel est
   enrichi d'oligo-éléments et
   se prête bien à la cuisson des
   légumes dont il rehausse la
   saveur. Il reste humide, ce qui
   le rend très soluble. Un bon
   achat économique, de surcroît.

Sur un plan de travail, placez l'agneau, partie grasse vers le bas. À l'aide d'un couteau, pratiquez une entaille dans la partie la plus charnue du gigot afin de l'ouvrir comme un livre. ☙ Dans un petit bol, mélangez le reste des ingrédients et massez la viande avec cette marinade sèche. Laissez reposer 30 minutes à température ambiante ou, mieux, 6-8 heures au réfrigérateur. ☙ Préchauffez le barbecue, un côté à intensité vive, environ 260 °C (500 °F), et laissez l'autre côté éteint. ☙ Ficelez le gigot en un boudin et huilez-le. Faites griller sur toutes les faces 3 minutes. ☙ Lorsque la viande est bien saisie, déposez-la du côté éteint pour une cuisson à feu indirect. Fermez le couvercle et laissez rôtir 35 minutes, en tournant une fois. La viande sera saignante lorsque le thermomètre indiquera 60 °C (140 °F), à point à 65 °C (150 °F) et bien cuite à 70 °C (160 °F). ☙ Retirez le gigot, emballez-le dans du papier d'aluminium et laissez reposer la viande 10 minutes avant de la couper en fines tranches.

CECI EST UNE FAÇON ORIGINALE ET
VAGUEMENT SICILIENNE DE PRÉPARER LE VEAU,
AVEC DES PARFUMS INCONTOURNABLES : HUILE
D'OLIVE, PARMESAN, CÂPRES ET CITRON.

Carré de veau piqué au parmesan, ratatouille grillée — 6 à 8 personnes —

1 carré de veau de lait de 2 kg (4 ¼ lb) en 2 morceaux ficelés

20 bâtonnets de parmesan de 0,5 x 2 cm (¼ x ¾ po)

Sel et poivre du moulin

Sauce

6 c. à soupe de jus de cuisson*

6 c. à thé d'huile d'olive

½ c. à thé de chili en flocons

Sel

Garniture

6 c. à thé de persil haché

6 c. à soupe de parmesan fraîchement râpé

Accompagnement
Ratatouille grillée (p. 103)

* Veillez à ne pas perdre une goutte du jus que la viande rendra lorsqu'elle reposera dans le papier d'aluminium.

Préchauffez le barbecue à intensité vive, environ 260 °C (500 °F). ❧ Salez, poivrez généreusement les pièces de viande. Déposez le veau sur les grilles et faites-le saisir sur toutes les faces. ❧ Mettez les pièces de viande sur un plan de travail et, avec la pointe d'un petit couteau, pratiquez dans chacune 10 incisions de 2 cm (¾ po) de profondeur. Insérez les bâtonnets de parmesan. ❧ Enveloppez chaque pièce de viande dans un papier d'aluminium double épaisseur et déposez-les sur la grille supérieure du barbecue. Si vous n'avez pas de grille supérieure, réduisez la chaleur à intensité modérée, environ 200 °C (400 °F). Poursuivez la cuisson 20-25 minutes. (La viande est prête lorsqu'en piquant le jus qui s'écoule est à peine rosé.) ❧ Enveloppez de papier d'aluminium et laissez reposer au moins 5 minutes. Ouvrez le papier d'aluminium avec précaution pour ne pas perdre le jus que vous récupérerez dans un petit bol pour la préparation de la sauce.

La sauce
Dans un petit bol, contenant le jus de cuisson, incorporez l'huile et le chili en fouettant. Salez.

Servir
Taillez le veau, servez avec la sauce et garnissez du hachis de persil et du parmesan. La ratatouille grillée convient bien à ce plat plein de saveur.

N. B. Le veau de lait du Québec est considéré comme une viande extra-maigre. Les bêtes sont nourries de lait en poudre reconstitué, un produit de grande qualité. C'est grâce à cette alimentation que la chair est rosée et tendre.

.../103

Ratatouille grillée — 6 à 8 personnes —

1 aubergine

2 courgettes

1 oignon rouge

**20 tomates cerises
sur grappe**

**4 branches de thym
effeuillées**

**10 caperons coupés
en 3 (plus 2-3 entiers pour
la garniture) ou 3 c. à soupe
de câpres**

Zeste de 2 citrons lavés

3 c. à soupe d'huile d'olive

Sel et poivre du moulin

Nettoyez et huilez les grilles. Préchauffez le barbecue à intensité modérée, environ 200 °C (400 °F). ∽ Coupez les légumes : l'aubergine en rondelles de 2 cm (¾ po), les courgettes en 2 sur la longueur et l'oignon en rondelles de 1,5 cm (½ po). ∽ Faites griller l'aubergine, la courgette et l'oignon jusqu'à ce qu'ils soient tendres. Vers la fin de la cuisson, déposez sur les grilles les grappes de tomates cerises. (Vous pouvez aussi mettre les tomates cerises sur une plaque.) ∽ Retirez tous les légumes et coupez-les en gros cubes. Transférez dans un saladier et ajoutez le thym, les caperons, le zeste de citron et l'huile. Assaisonnez.

LA LOTTE, C'EST LE « HOMARD DES PAUVRES »
ET, COMME JE SUIS ALLERGIQUE AU HOMARD, C'EST
UNE FAÇON DE PROFITER DU GOÛT DES FRUITS
DE MER GRILLÉS AU BEURRE À L'AIL !

Lotte savoureuse, dukkah et rattes à la feta — 4 à 6 personnes —

80 ml (⅓ tasse) de gros sel gris marin ou de fleur de sel

3 feuilles de laurier déchiquetées

Zeste et jus de 1 citron lavé

⅓ c. à thé de poivre du moulin

1 queue de lotte de 1 kg (2 lb)

3 gousses d'ail émincées

125 ml (½ tasse) d'huile d'olive

Accompagnements
Rattes à la feta (p. 106)

Dukkah (ci-dessous)

Dans un mortier, pilez ensemble le sel, les feuilles de laurier, le zeste de citron et le poivre. Parsemez la queue de lotte du mélange de sel et laissez mariner 30 minutes à température ambiante. ⌘ Préchauffez le barbecue à intensité moyenne-vive, environ 230 °C (450 °F). ⌘ Rincez la lotte sous l'eau du robinet, épongez et huilez légèrement. Déposez le poisson sur les grilles et faites griller 5 minutes de chaque côté. ⌘ Dans un petit poêlon, faites rôtir doucement l'ail dans l'huile sans laisser brunir. ⌘ Coupez la lotte en tronçons de 2 cm (¾ po). Dans une assiette de service, déposez la lotte grillée et arrosez de l'huile aromatisée et de jus de citron. ⌘ Servez avec les rattes à la feta et le dukkah.

Truc
Comme la lotte rejette beaucoup d'eau, il est préférable de la dégorger avant de la cuire. Une fois enrobée de la marinade sèche, placez-la dans une passoire.

Dukkah

2 c. à soupe de noisettes rôties

2 c. à soupe d'amandes rôties

3 c. à soupe de graines de sésame rôties

Zeste de 2 citrons lavés

½ c. à thé de sel

Dans un mortier, pilez les noisettes et les amandes ensemble. (La texture doit rester grossière.) Ajoutez les graines de sésame, le zeste et le sel.

LA RATTE EST UNE DES POMMES DE TERRE LES
PLUS EXCEPTIONNELLES. LA FAIRE AU BARBECUE,
C'EST COMME EN DÉMULTIPLIER LES QUALITÉS.

Rattes à la feta — 4 à 6 personnes —

12 pommes de terre rattes

3 gousses d'ail hachées

3 branches de romarin

2 c. à soupe d'huile d'olive

1 tasse de feta de brebis
émiettée

3 oignons verts émincés

Poivre du moulin

Préchauffez le barbecue à intensité modérée, environ 200 °C (400 °F). ∞ Coupez les rattes en 2 sur la longueur. ∞ Dans un papier d'aluminium double épaisseur, déposez les pommes de terre avec l'ail, le romarin et l'huile et mettez sur les grilles. Fermez le couvercle et faites cuire 30 minutes. ∞ Cinq minutes avant la fin de la cuisson, parsemez de feta et d'oignons verts, et poursuivez la cuisson à couvercle fermé. ∞ Rectifiez l'assaisonnement et servez aussitôt.

VOICI UN PETIT COMPROMIS MAISON : ENTRE LE
SANDWICH, LA TARTINE ET LE CROQUE-MONSIEUR !
ET TOUT ÇA PEUT SE SERVIR EN À-CÔTÉ
D'À PEU PRÈS TOUT !

Baguette gratinée — 4 personnes —

½ baguette de pain

3 c. à soupe de beurre ramolli

1 gousse d'ail hachée finement

180 ml (¾ tasse) de gruyère râpé

Sel et poivre du moulin

Préchauffez le barbecue à intensité modérée, environ 200 °C (400 °F). ☞ Coupez la baguette tous les 2 cm (¾ po) sans que les tranches soient détachées de la base. ☞ Dans un petit bol, mélangez le beurre, l'ail, le sel et le poivre. Tartinez le beurre assaisonné entre les tranches. Insérez entre chacune le fromage. Enveloppez le pain de papier d'aluminium et déposez sur les grilles. ☞ Fermez le couvercle et laissez cuire 10 minutes en retournant le rouleau de temps en temps. Déballez et servez aussitôt.

MÊME SI CE PLAT D'INSPIRATION SYRIENNE,
SALÉ-SUCRÉ, PARLE AUX ADULTES, CE SERA CELUI
QUE VONT PRÉFÉRER LES ENFANTS.

Marlin bleu mouhamara, baguette gratinée — 4 personnes —

2 gousses d'ail hachées

1 c. à thé de gros sel gris marin ou de fleur de sel

6 c. à soupe d'huile d'olive

4 pavés de marlin bleu (ou mahi-mahi ou espadon) de 200 g (7 oz) chacun

Feuilles de basilic

Poivre du moulin

—⁂—

Accompagnements
Sauce mouhamara (ci-dessous)

Baguette gratinée (p. 107)

Préchauffez le barbecue à intensité vive, environ 260 °C (500 °F). ☞ Dans un petit bol, combinez l'ail et le sel, et écrasez à la fourchette afin d'amalgamer les saveurs. Incorporez l'huile. Badigeonnez le poisson et poivrez-le. ☞ Déposez les pavés sur du papier d'aluminium huilé et placez sur les grilles. Faites cuire 2-3 minutes de chaque côté. (Le marlin ne doit pas trop cuire.) ☞ Servez avec la sauce mouhamara et garnissez de basilic.

Sauce mouhamara — 250 ml (1 tasse) —

1 poivron rouge

1 gousse d'ail

125 ml (½ tasse) de mie de pain séchée ou grillée

60 ml (¼ tasse) de pacanes

1 c. à soupe de mélasse

3 c. à soupe d'huile d'olive

Sel et poivre du moulin

Préchauffez le barbecue à intensité vive, environ 260 °C (500 °F). ☞ Faites griller le poivron 20 minutes en le retournant régulièrement. Laissez-le refroidir avant de le peler et de l'épépiner. ☞ Combinez le poivron et les autres ingrédients dans le récipient du robot culinaire et broyez jusqu'à l'obtention d'une purée lisse. Rectifiez l'assaisonnement. ☞ Cette sauce se conserve 5 jours au réfrigérateur. Elle accompagne aussi bien les poissons que les viandes.

EN HOMMAGE À MA BLONDE QUI ADORE LE BRIE
FONDU SUR LES TOASTS. C'EST UNE BONNE FAÇON
DE TRAVAILLER LE FROMAGE EN FIN DE REPAS.

Brie fondant — 4 à 6 personnes —

**1 brie entier de 500 g (1 lb)
de 5 cm (2 po) d'épaisseur**

**2 c. à soupe de raisins
secs dorés**

2 c. à soupe de rhum

1 c. à soupe de cassonade

**2 c. à soupe de pistaches
hachées grossièrement**

**4 feuilles de basilic
déchiquetées**

**Tranches de pain
de campagne grillées**

Préchauffez le barbecue à intensité modérée, environ 200 °C (400 °F). ∞ Placez le brie au congélateur 15 minutes. Pendant ce temps, faites tremper les raisins dans le rhum 10 minutes. ∞ À l'aide d'un couteau, ouvrez le brie en 2 parties et garnissez le milieu avec les raisins, la cassonade, les pistaches et le basilic. ∞ Emballez le brie dans un papier d'aluminium double épaisseur. Déposez sur les grilles pendant 10 minutes. ∞ Servez avec du pain grillé.

Truc
Je place le brie au congélateur une quinzaine de minutes pour le rendre plus ferme et donc plus facile à couper.

UNE RECETTE « ÉCŒURANTE », QUI FAIT VRAIMENT
PENSER AUX VACANCES DANS LE SUD !

Tatin d'ananas, basilic et coco — 4 personnes —

1 c. à soupe de beurre ramolli

½ ananas pelé

4 c. à soupe et plus de sirop d'érable

1 cercle de 15 cm (6 po) de pâte feuilletée du commerce

3 c. à soupe de noix de coco en flocons grillée

8 feuilles de basilic (ou menthe, estragon) déchiquetées

Préchauffez le barbecue à intensité moyenne-vive, environ 230 °C (450 °F). Beurrez généreusement une poêle en fonte de 15 cm (6 po) de diamètre. ☞ Taillez des tranches d'ananas de 1,5 cm (½ po) et retirez le cœur. Disposez-les au fond dans la poêle de façon qu'elles se superposent. Arrosez de sirop d'érable. ☞ Mettez sur les grilles jusqu'à ce que le sirop commence à faire de grosses bulles. ☞ Couvrez les ananas de pâte feuilletée en rabattant l'excédent de pâte vers l'intérieur. Fermez le couvercle et faites cuire 15-20 minutes, jusqu'à ce que la pâte soit bien gonflée et dorée. ☞ Dans une grande assiette, renversez la tarte, parsemez uniformément de noix de coco et de basilic.

Servir
Pour les plus gourmands, arrosez légèrement de sirop d'érable et dégustez !

VOICI UN SOUVENIR D'ENFANCE, SURTOUT
DE LA STATION MONT-TREMBLANT APRÈS LE SKI.
ON S'ACHETAIT CES PÂTES SUCRÉES ET ON
ÉTAIT SUPEREXCITÉS !

Castor sans queue — 4 personnes —

1 kg (2 lb) de pâte à pain non cuite

Garnitures au choix

Cannelle moulue

Sucre

Zeste de citron

Nutella

Préchauffez le barbecue à intensité modérée, environ 200 °C (400 °F). ∞ Divisez la pâte en 4 et abaissez chaque part en un cercle de 0,5 cm (¼ po) d'épaisseur. Il n'est pas nécessaire que ce soit régulier. ∞ Déposez les pâtes sur les grilles propres. Faites cuire 5 minutes de chaque côté. ∞ Retirez-les et garnissez, selon votre goût.

Truc
Certaines garnitures adhèrent mieux à la pâte si elle est badigeonnée d'huile au préalable.

COCKTAILS

C'EST PRATIQUEMENT UNE ASSOCIATION INCONTOURNABLE :
LES COCKTAILS ET LE BARBECUE. ON POURRAIT MÊME DIRE QUE
C'EST NATUREL, DÉTENDRE L'ATMOSPHÈRE AUTOUR DE LA TABLE
AVANT D'ENTREPRENDRE LES CHOSES PLUS SÉRIEUSES COMME LE
GRIL. VOICI UNE SÉRIE D'IDÉES REVUES ET « INCORRIGIBLES » !

Sangria blanche — 4 à 6 verres —

**500 ml (2 tasses)
de glaçons**

4 c. à soupe de sucre

**1 pomme Granny Smith,
le cœur retiré, en fines
tranches**

**250 ml (1 tasse) d'ananas
frais, en cubes**

8 feuilles de menthe

8 feuilles de basilic

1 bouteille de vin blanc sec

Dans un grand pichet, combinez tous les ingrédients et laissez macérer au moins 1 heure au réfrigérateur avant de consommer. ☙ Versez le cocktail dans des verres old fashioned et répartissez les fruits. Fournissez à vos convives un petit pic ou une fourchette pour les déguster.

Saké façon mojito — 1 verre —

6 feuilles de menthe

1 c. à soupe de sucre

Jus de ½ lime

Glaçons

80 ml (⅓ tasse) de saké froid

**Soda au gingembre
(Ginger Ale)**

Dans un verre old fashioned, combinez les feuilles de menthe, le sucre et le jus de lime. À l'aide d'un maillet* de barman, pilez avec des mouvements rotatifs pour faire ressortir le goût de la menthe. ☙ Ajoutez les glaçons et le saké, mélangez. Complétez avec du soda au gingembre.

* Si vous n'en avez pas, utilisez le manche d'un fouet ou l'une des extrémités d'un rouleau à pâtisserie.

.../120

Panaché au cidre — 1 verre —

1 c. à thé de sirop d'orgeat

3 rondelles d'orange

80 ml (⅓ tasse) de cidre pétillant

160 ml (⅔ tasse) de bière rousse

Versez le sirop d'orgeat dans un grand verre à bière droit.
∽ Pressez légèrement les rondelles d'orange avant de les mettre dans le verre. ∽ Ajoutez le cidre et complétez avec la bière.

Daïquiri fraises-basilic — 4 verres —

160 ml (⅔ tasse)
de rhum blanc ou ambré

Jus de 2 limes

500 ml (2 tasses) de fraises surgelées

500 ml (2 tasses) de glace vanille

6 feuilles de basilic

Placez 4 verres à martini quelques minutes au congélateur.
∽ Combinez tous les ingrédients dans le récipient du mélangeur.
Broyez jusqu'à l'obtention d'un mélange lisse et onctueux.
∽ Versez dans les verres.

Gin concombre et coriandre — 1 verre —

½ concombre libanais,
non pelé, lavé

1 c. à soupe de sucre

80 ml (⅓ tasse) de feuilles
de coriandre

3 c. à soupe de gin

Glaçons

Tonic (Schweppes)

Taillez 4 fines tranches dans le concombre et coupez le reste en tronçons de 1 cm (3/8 po). ∽ Dans un grand verre droit, combinez les tronçons de concombre, le sucre et la coriandre. À l'aide d'un maillet* de barman, pilez pour faire ressortir les saveurs. ∽ Ajoutez le gin, mélangez, remplissez de glaçons et complétez avec le tonic. ∽ Servez garni de fines rondelles de concombre.

* Si vous n'en avez pas, utilisez le manche d'un fouet ou l'une des extrémités d'un rouleau à pâtisserie.

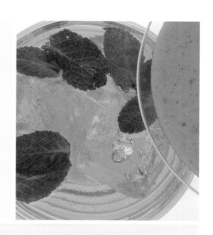

Piña colada — 2 verres —

60 ml (¼ tasse) de rhum ambré

½ ananas bien mûr en cubes

180 ml (¾ tasse) de lait de coco

125 ml (½ tasse) de glaçons

Cerises au marasquin (facultatif)

Dans un mélangeur, combinez tous les ingrédients, sauf les cerises au marasquin, et broyez jusqu'à l'obtention d'une texture lisse et onctueuse. ☜ Versez dans des verres à dégustation et garnissez de cerises au marasquin, si désiré.

Tequila verte — 1 verre —

1 quartier de citron

Gros sel

Glaçons

Tabasco vert, au goût

3 c. à soupe de tequila

250 ml (1 tasse) de jus
de pomme Granny Smith

Sur le bord d'un grand verre à margarita ou à martini, glissez le quartier de citron pour l'humecter légèrement et trempez-le ensuite dans le gros sel. ☜ Remplissez le verre de glaçons, ajoutez quelques gouttes de Tabasco au goût et versez la tequila et le jus de pomme. ☜ Pressez légèrement le quartier de citron au-dessus du verre et servez.

Citron tonic — 1 verre —

Glaçons

6 raisins verts coupés en 2

3 c. à soupe de limoncello

80 ml (⅓ tasse) de vin blanc

Tonic (Schweppes)

Remplissez un grand verre droit avec des glaçons et les raisins. ☜ Versez le limoncello, le vin blanc et complétez avec du tonic.

MERCI

En premier lieu, merci à la styliste Marie-Ève
et au photographe Christian qui, en alliant leur talent et leur
créativité, ont donné une signature unique à mes cinq livres.

À l'équipe de l'émission *Le BBQ de Louis* ainsi qu'aux gens d'Astral
et de Canal Vie qui m'ont toujours accordé leur appui.

À ma famille et à mes amis, bien évidemment.
D'abord à ma blonde, puis à ma mère et aux enfants, qui sont
toujours les premiers goûteurs au-dessus du barbecue.

À Marc-André, fidèle complice de la cuisine sur le gril,
qui n'est jamais gêné de m'inviter chez lui.

À Luc, avec qui je partage des repas, mais aussi,
entre autres choses, des affinités pour certaines marques de
barbecue, ce qu'on pourrait appeler nos « joujoux de gars ».

Une pensée particulière pour Isabelle et Donald,
qui, il y a quelques années, ont fait semblant d'aimer un poulet
complètement raté...

Une mention spéciale à Sébastien, devenu plus
habile à « griller » avec le temps.

À tous ceux et celles qui, sans le savoir, m'ont inspiré
ces recettes, merci !

Enfin, mes remerciements à l'équipe de Flammarion Québec,
à Louise et à mon ami Robert, qui ont toujours eu la patience
de me soutenir et de croire en mes projets.

INDEX